# net aan

Annemie Berebrouckx

z Zwijsen

dit is gijs.

daar is de zon.
gijs gaat naar zee.
gijs is gek op de zee.
de zee is ver.

dit neem ik mee.
dit neem ik mee naar zee.

en dit doe ik er in.

een doek

een koek

een pet

een net

er zit in:
een doek
een pet
een koek
een net
en zeep

zeep

daar gaat gijs.
gijs gaat naar zee.
gijs gaat met zijn step.
gaat kip mee?
gaat kip ook naar zee?

kip gaat mee.
en bok ook.
en poes?
ja, poes gaat ook mee.
met de step naar zee.

is daar de zee?
kip: daar is de zee!
rij in de doos.

is de zee daar?
gijs: nee, mis kip!

is daar de zee?
bok: daar is de zee!
rij de top op.

gijs gaat de top op.

is de zee daar?
gijs: nee, mis bok!

is daar de zee?
poes: daar is de zee!
rij om de boom.

gijs gaat om de boom.

is de zee daar?
gijs: nee, mis poes!

poes: is gijs boos?
gijs: nee, poes.

gijs: ben ik dom?
is de zee daar?
is daar de zee?
en daar?

gijs is gek.
kip is gek.
bok is gek.
en poes ook.

de zee is ver.
de zee is te ver.

kip: ik ben dit beu.
gijs: step ik om?
kip: om?
gijs: ik step om en om.
bok: om en om?
poes: om en om en om?

dit is om.
gijs is sip.
kip is sip.
en bok ook.

poes: kom maar mee.
kom maar mee naar mijn kom.

kijk, dit is mijn kom.
een kom met vis er op.

gaat gijs in de kom?
gaat bok in de kom?
gaat kip er ook in?
en poes?

gijs: daar is de zon.
ik zet mijn pet op.
ik neem zeep en ik maak sop.

kip doet mee.
bok doet mee.
en poes ook.

een kom met sop.

een kom met kip.
een kom met bok.
een kom met poes.

kip doet sop aan een teen.
bok doet sop op zijn buik.
poes doet sop op de neus.
en gijs?

gijs met zijn zeep.

gijs met zijn doek.
en met zijn pet.

gijs met zijn koek.
en met zijn net.

gijs is net aan zee.

# Raketjes bij kern 3 van Veilig leren lezen

**1. ik maak een boek**
Willem Eekhof en
Camila Fialkowski
*Na acht weken leesonderwijs*

**3. net aan zee**
Annemie Berebrouckx
*Na tien weken leesonderwijs*

**2. baas buik is moe**
Hans Kuyper en Mark Jansen
*Na negen weken leesonderwijs*

ISBN 90.276.7776.X
NUR 287
1e druk 2004

© 2004 Tekst en Illustraties: Annemie Berebrouckx
Uitgeverij Zwijsen Algemeen B.V. Tilburg

Voor België:
Zwijsen-Infoboek, Meerhout
D/2004/1919/510